# CAWSON NI I GYD EIN GENI'N RHYDD

Mae *Cawson ni i gyd ein Geni'n Rhydd* wedi'i ddarlunio gan:
John Burningham, Niki Daly, Korky Paul, Jane Ray, Marie-Louise Fitzpatrick, Jan Spivey Gilchrist, Ole Könnecke, Piet Grobler, Fernando Vilela, Polly Dunbar, Bob Graham, Alan Lee, Hong Sung Dam, Frané Lessac, Sybille Hein, Marie-Louise Gay, Jessica Souhami, Debi Gliori, Satoshi Kitamura, Gusti, Catherine and Laurence Anholt, Jackie Morris, Brita Granström, Gilles Rapaport, Nicholas Allan, Axel Scheffler, Chris Riddell, Marcia Williams

Darlun y clawr gan Peter Sis

rily.co.uk

Cyhoeddwyd gan Rily Publications Ltd, Blwch Post 257, Caerffili CF83 9FL

Addasiad Cymraeg gan Elin Meek

ISBN 978-1-84967-030-2

Cyhoeddwyd yn wreiddiol yn Saesneg yn 2008
gan Frances Lincoln Children's Books o dan y teitl


Mae Data Catalogio mewn Cyhoeddi'r Llyfrgell Brydeinig ar gael ar gais.

Mae'r cyhoeddwyr yn cydnabod cefnogaeth ariannol Cyngor Llyfrau Cymru.

Argraffwyd yn China

# CAWSON NI I GYD EIN GENI'N RHYDD

Datganiad Cyffredinol o Hawliau Dynol ar ffurf darluniau

Ar y cyd ag Amnest Rhyngwladol

Ym mis Ionawr 2006 cyhoeddais nofel o'r enw *Y Bachgen mewn Pyjamas*. Roedd hi'n sôn am ddau fachgen naw mlwydd oed. Mae eu bywydau nhw'n newid am byth wrth i'r Ail Ryfel Byd ddechrau ac maen nhw'n dod yn rhan o un o'r troseddau mwyaf dychrynllyd y mae'r byd wedi'i weld erioed.

Wrth gwrs, digwyddodd y rhyfel cyn i Amnest Rhyngwladol gael ei sefydlu a chyn i'r hawliau sydd yn y llyfr hwn gael eu hysgrifennu. Felly dioddefodd y cymeriadau yn fy stori mewn ffyrdd na ddylai neb byth orfod gwneud.

Dwi wedi bod yn ddigon lwcus i siarad â phlant dros y byd i gyd am fy llyfr. Bryd bynnag dwi'n gwneud hynny, dwi'n ceisio esbonio iddyn nhw pam roedd y cymeriadau yn fy nofel yn cael eu trin mor greulon yn ystod y blynyddoedd ofnadwy hynny.

A dwi bob amser yn sôn am y Datganiad Cyffredinol o Hawliau Dynol, y tri deg o reolau sy'n berthnasol i bawb ledled y byd, ac nid dim ond i'r rhai sy'n rhannu'r un man geni, yr un lliw, neu'r un grefydd â ni.

Credu ynddyn nhw, gweithredu arnyn nhw, addo na fyddwn byth yn eu torri nhw – dyna sut rydyn ni'n gwneud i'r byd fod yn lle gwych. Dyna sut mae gwneud i ni fod yn bobl well. Dydy e ddim mor gymhleth â hynny pan fyddwch chi'n meddwl am y peth, ydy hi?

Gobeithio byddwch chi'n mwynhau'r llyfr hwn.

Efallai mai dyma'r llyfr pwysicaf fydd gyda chi byth.

Ffotograff gan Kenneth Kyle Dundas

Dwi wedi treulio'r tair blynedd diwethaf yn rhan o raglen deledu o'r enw *Doctor Who*. Dwi'n chwarae cymeriad o'r enw Y Doctor sy'n teithio drwy amser a'r gofod mewn hen flwch pren anniben. Mae'n 903 mlwydd oed ac mae'n dod o blaned o'r enw Gallifrey yng ngalaith Kasterborous. Ond er nad yw'r Doctor yn agos at fod yn ddynol, dwi'n credu bod ganddo gopi o'r Datganiad Cyffredinol o Hawliau Dynol ar wal ei ystafell wely yn y Tardis. Ble bynnag y mae'n mynd yn y bydysawd, mae'n treulio ei amser yn datrys anghyfiawnder a drygioni. Mae'n credu bod gan bawb ym mhobman hawl i fod yn hapus ac yn rhydd – yn union fel Amnest Rhyngwladol.

Pan glywais gyntaf am Amnest Rhyngwladol, roeddwn i yn fy arddegau, wrth imi ddechrau cymryd diddordeb yn y pethau a oedd yn digwydd yn y byd. Roedd gweld pa mor greulon a hunanol mae bodau dynol yn gallu bod i'w gilydd yn sioc i mi drwy'r amser. Roedd Amnest Rhyngwladol yn cynrychioli syniad mor syml: bod gan bawb ym mhobman hawl i gael eu trin yn deg.

Mae'r Datganiad Cyffredinol o Hawliau Dynol yn eglur ac yn syml. Mae'n darllen fel rhestr o synnwyr cyffredin – efallai y dylai pawb fod â chopi ar wal eu hystafell wely.

Does dim un ohonon ni'n mynd i fyw tan byddwn ni'n 903 mlwydd oed, felly rydyn ni i gyd yn haeddu gwneud yn fawr o'n hamser, on'd ydyn ni? Mae cymaint ohonon ni, fodau dynol, wedi ein gwasgu ar y blaned fach yma, a does dim Tardis ar gael i'n cludo i rywle arall. Mae angen i ni ofalu am ein gilydd.

Yn y llyfr hardd hwn mae tri deg o reolau i'r byd eu dilyn.

Rydyn ni i gyd ar y blaned hon gyda'n gilydd.

Mwynhewch

Cawson ni i gyd ein geni'n rhydd ac yn gyfartal.
Mae gan bob un ohonon ni ein syniadau ein hunain.
Dylen ni i gyd gael ein trin yn yr un ffordd.

Mae'r hawliau hyn gan bawb,
hyd yn oed os ydyn ni'n wahanol i'n gilydd.

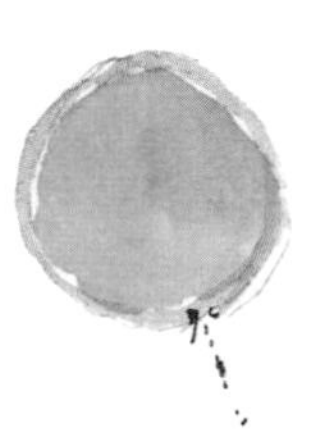

Mae gennyn ni hawl i fywyd,
PARC RHYDDID

i fyw'n rhydd ac i deimlo'n ddiogel.

Does gan neb hawl i'n
GWNEUD NI'N GAETHWEISION.

Chawn ni ddim gwneud i UNRHYW UN ARALL FOD YN GAETHWAS I NI.

Does gan neb hawl
i'n
BRIFO
ni,

neu i'n
POENYDIO ni.

Mae gan **bob un** hawl

i gael ei ddiogelu gan y gyfraith.

MAE'R GYFRAITH YR UN PETH I BAWB.
MAE'N RHAID IDDI EIN TRIN NI
I GYD YN DEG.

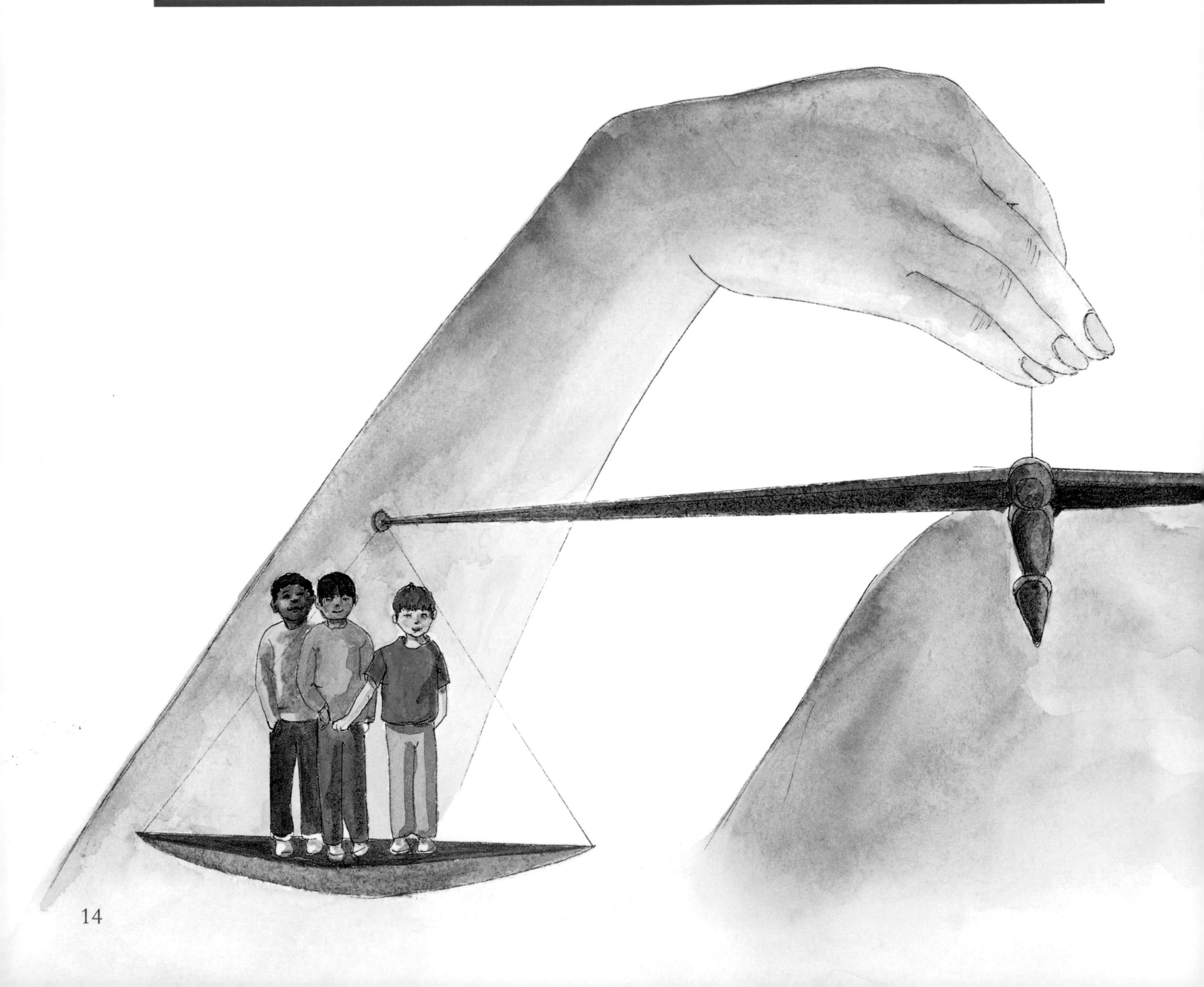

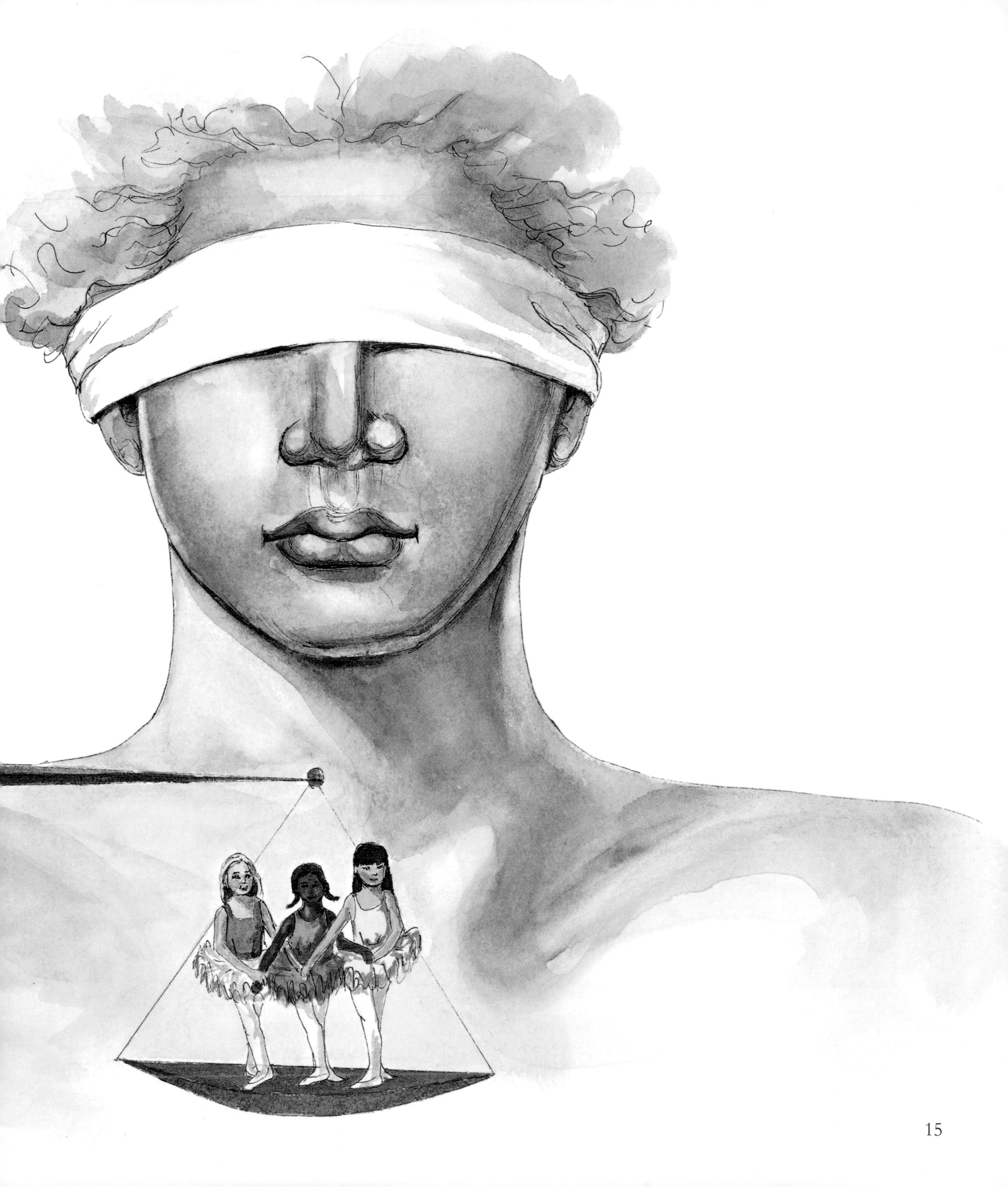

GALL POB UN OHONON NI OFYN I'R GYFRAITH EIN HELPU NI

PAN NA CHAWN NI EIN TRIN YN DEG.

Does gan neb hawl i'n hanfon i garchar
ac i'n cadw ni yno heb reswm da,
neu i'n hanfon allan o'n gwlad.

Os ydyn ni'n cael ein rhoi ar brawf, dylai'r prawf fod yn un cyhoeddus.
Ddylai'r bobl sy'n ein rhoi ni ar brawf ddim gadael i neb
ddweud wrthyn nhw beth i'w wneud.

Ddylai neb gael y bai am wneud
rhywbeth nes bod hynny wedi'i brofi.
Pan fydd pobl yn dweud ein bod ni
wedi gwneud rhywbeth drwg, mae gennyn
ni hawl i ddangos bod hynny ddim yn wir.

Ddylai neb geisio gwneud drwg i'n henw da ni.
Does gan neb hawl i ddod i mewn i'n cartref,
i agor ein llythyrau, neu i'n poeni ni neu
ein teuluoedd heb reswm da.

Mae gan bob un ohonon ni hawl i fynd
lle bynnag rydyn ni eisiau yn ein gwlad ein
hunain, ac i deithio dramor fel rydyn ni eisiau.

Os ydyn ni'n ofni cael ein trin yn wael yn ein gwlad ein hunain, mae gan bob un ohonon ni hawl i redeg i ffwrdd i wlad arall er mwyn bod yn ddiogel.

**Mae gan bob un ohonon ni hawl i berthyn i wlad.**

*Mae gan bob oedolyn hawl i briodi a chael teulu os ydy e neu hi eisiau gwneud hynny.*

*Mae gan ddynion a menywod yr un hawliau pan fyddan nhw'n briod, a phan fyddan nhw wedi gwahanu.*

商铺与导游串
愿本单纯

Mae gan bawb hawl
i fod yn berchen
ar bethau neu
i'w rhannu nhw.
Ddylai neb fynd
â'n pethau ni
oddi wrthon ni
heb reswm da.

Mae gan bob un ohonon ni hawl i gredu mewn beth bynnag
rydyn ni eisiau, hawl i fod â chrefydd,
ac i'w newid os ydyn ni eisiau.

= 1
= 2
= 3
= 4
=5
+ = ?
+ = ?
+ = ?

Mae gan bob un ohonon ni hawl i benderfynu
droson ni
ein hunain,
i feddwl am
beth bynnag
rydyn ni eisiau,
i ddweud beth rydyn ni'n ei feddwl
ac i rannu ein syniadau â
phobl eraill.

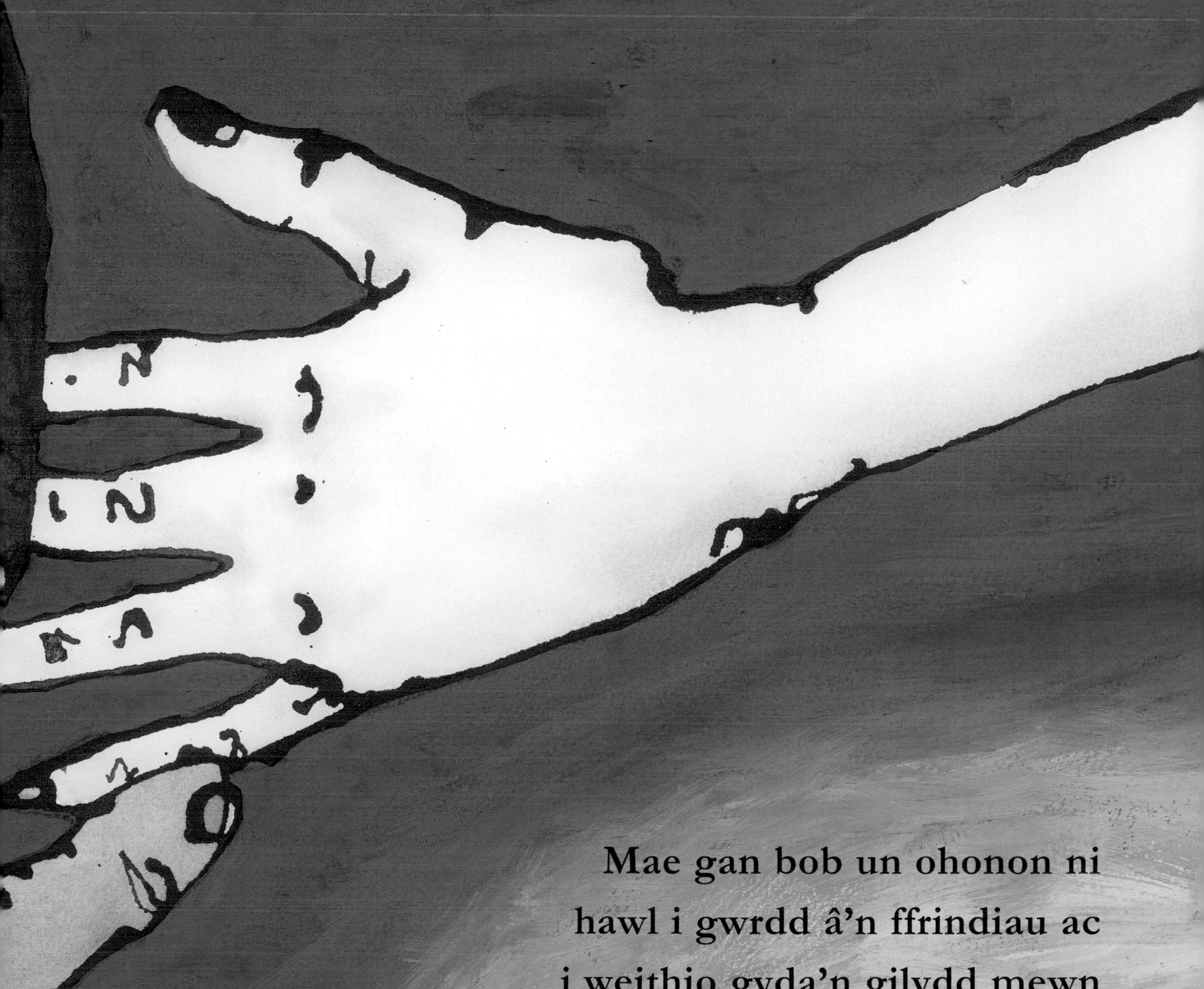

Mae gan bob un ohonon ni
hawl i gwrdd â'n ffrindiau ac
i weithio gyda'n gilydd mewn
heddwch i amddiffyn ein hawliau.
Chaiff neb ein gorfodi ni i ymuno â grŵp
os nad ydyn ni eisiau gwneud hynny.

PARAVION
THEO
for President
FELIZ NAVIDAD
TY COCH

Mae gan bob un ohonon ni hawl
i gymryd rhan yn llywodraeth ein gwlad.
Dylai pob oedolyn gael hawl i ddewis
ei arweinwyr ei hun.

Mae gan bob un ohonon ni hawl i gael cartref, digon o arian i fyw arno,
a help meddygol os ydyn ni'n sâl.

Mae cerddoriaeth, celf, crefft a chwaraeon
i bawb eu mwynhau.

Mae gan bob oedolyn hawl i gael swydd, hawl i gael cyflog teg am ei waith, ac i ymuno ag undeb llafur.

*Mae gan bob un ohonon ni hawl i gael seibiant o'r gwaith ac i ymlacio.*

Mae gan bob un ohonon ni hawl i fywyd da.
Mae gan famau a phlant a phobl sy'n hen,
yn ddi-waith, neu'n anabl hawl i gael gofal.

Fy Nwrnod Cinta yn yr Isgol
gan Cai
arian
Isgol am ddim! Isgol am ddim
Isgol ginradd am ddim Dim tali i ddod yma, rhaid dod
Fi yn yr isgol am ddim. Ti'n dysgi yn yr isgol.
Mae gan bob un ohonon ni hawl i addysg ac i orffen yr ysgol gynradd, a ddylai fod am ddim.
Drama'r isgol
Dylai pob un ohonon ni allu dewis gyrfa neu ddefnyddio ein sgiliau i gyd.
Am lois crif, Cai.
Fy llois
Fy ngeg

Mae gan ein rhieni hawl i ddewis sut rydyn ni'n dysgu, a beth rydyn ni'n ei ddysgu.
Cai, seren ffylmiau
Drama'r isgol Cai iw'r seren.
Cai i fod yn Bryf Wainidog
clap
clap
pawb yn ciro dwilo
dad yn meddol
Ein gwiliau yn Efrog Nowidd
gan Cai
Cenhedloidd Unedyg
de nero
Broadwai
Cai yn sereni
Theater
Land
Cenhedloidd Unedyg
Cai Pryf Wainidog
Dylai pob un ohonon ni ddysgu am y Cenhedloedd Unedig ac am sut mae cyd-dynnu â phobl eraill a pharchu eu hawliau nhw.

Mae gan bob un ohonon ni hawl
i'n ffordd o fyw ein hunain,
ac i fwynhau'r pethau da sy'n dod
gyda gwyddoniaeth ac addysg.

WWPS!
Mae'n rhaid cael trefn
er mwyn i bob un
ohonon ni fwynhau
hawliau a rhyddid yn
ein gwlad ein hunain
a ledled y byd.

BREGUS
Www!
Mae dyletswydd arnon ni
BREGUS
Www!
dros bobl eraill,
a dylen ni ddiogelu eu hawliau a'u rhyddid nhw.

Chaiff neb
fynd â'r
hawliau hyn
a'r rhyddid
hwn oddi
wrthon ni.

# DATGANIAD CYFFREDINOL O HAWLIAU DYNOL

FERSIWN WEDI'I SYMLEIDDIO
GAN AMNEST RHYNGWLADOL

**Erthygl 1** Cawson ni i gyd ein geni'n rhydd ac yn gyfartal. Mae gan bob un ohonon ni ein syniadau ein hunain. Dylen ni i gyd gael ein trin yn yr un ffordd.

**Erthygl 2** Mae'r hawliau hyn gan bawb, hyd yn oed os ydyn ni'n wahanol i'n gilydd.

**Erthygl 3** Mae gan bob un ohonon ni hawl i fywyd, ac i fyw'n rhydd ac i deimlo'n ddiogel.

**Erthygl 4** Does gan neb hawl i'n gwneud ni'n gaethweision.
Chawn ni ddim gwneud i unrhyw un arall fod yn gaethwas i ni.

**Erthygl 5** Does gan neb hawl i'n brifo ni, neu i'n poenydio ni.

**Erthygl 6** Mae gan bob un hawl i gael ei ddiogelu gan y gyfraith.

**Erthygl 7** Mae'r gyfraith yr un peth i bawb. Mae'n rhaid iddi ein trin ni i gyd yn deg.

**Erthygl 8** Gall pob un ohonon ni ofyn i'r gyfraith ein helpu ni pan na chawn ni ein trin yn deg.

**Erthygl 9** Does gan neb hawl i'n hanfon i garchar ac i'n cadw ni yno heb reswm da, neu i'n hanfon allan o'n gwlad.

**Erthygl 10** Os ydyn ni'n cael ein rhoi ar brawf, dylai'r prawf fod yn un cyhoeddus. Ddylai'r bobl sy'n ein rhoi ni ar brawf ddim gadael i neb ddweud wrthyn nhw beth i'w wneud.

**Erthygl 11** Ddylai neb gael y bai am wneud rhywbeth nes bod hynny wedi'i brofi.

Pan fydd pobl yn dweud ein bod ni wedi gwneud rhywbeth drwg, mae gennym hawl i ddangos bod hynny ddim yn wir.

**Erthygl 12** Ddylai neb geisio gwneud drwg i'n henw da ni. Does gan neb hawl i ddod i mewn i'n cartref, i agor ein llythyrau, neu i'n poeni ni neu'n teuluoedd heb reswm da.

**Erthygl 13** Mae gan bob un ohonon ni hawl i fynd lle bynnag rydyn ni eisiau yn ein gwlad ein hunain, ac i deithio dramor fel rydyn ni eisiau.

**Erthygl 14** Os ydyn ni'n ofni cael ein trin yn wael yn ein gwlad ein hunain, mae gan bob un ohonon ni hawl i redeg i ffwrdd i wlad arall er mwyn bod yn ddiogel.

**Erthygl 15** Mae gan bob un ohonon ni hawl i berthyn i wlad.

**Erthygl 16** Mae gan bob oedolyn hawl i briodi a chael teulu os ydy e neu hi eisiau gwneud hynny. Mae gan ddynion a menywod yr un hawliau pan fyddan nhw'n briod, a phan fyddan nhw wedi gwahanu.

**Erthygl 17** Mae gan bawb hawl i fod yn berchen ar bethau neu i'w rhannu nhw.
Ddylai neb fynd â'n pethau ni oddi wrthon ni heb reswm da.

**Erthygl 18** Mae gan bob un ohonon ni hawl i gredu mewn beth bynnag rydyn ni eisiau, hawl i fod â chrefydd, ac i'w newid os ydyn ni eisiau.

**Erthygl 19** Mae gan bob un ohonon ni hawl i benderfynu droson ni ein hunain, i feddwl am beth bynnag rydyn ni eisiau, i ddweud beth rydyn ni'n ei feddwl ac i rannu ein syniadau â phobl eraill.

**Erthygl 20** Mae gan bob un ohonon ni hawl i gwrdd â'n ffrindiau ac i weithio gyda'n gilydd mewn heddwch i amddiffyn ein hawliau. Chaiff neb ein gorfodi ni i ymuno â grŵp os nad ydyn ni eisiau gwneud hynny.

**Erthygl 21** Mae gan bob un ohonon ni hawl i gymryd rhan yn llywodraeth ein gwlad.
Dylai pob oedolyn gael hawl i ddewis ei arweinwyr ei hun.

**Erthygl 22** Mae gan bob un ohonon ni hawl i gael cartref, digon o arian i fyw arno, a help meddygol os ydyn ni'n sâl. Mae cerddoriaeth, celf, crefft a chwaraeon i bawb eu mwynhau.

**Erthygl 23** Mae gan bob oedolyn hawl i gael swydd, hawl i gael cyflog teg am ei waith, ac i ymuno ag undeb llafur.

**Erthygl 24** Mae gan bob un ohonon ni hawl i gael seibiant o'r gwaith ac i ymlacio.

**Erthygl 25** Mae gan bob un ohonon ni hawl i fywyd da. Mae gan famau a phlant a phobl sy'n hen, yn ddi-waith, neu'n anabl hawl i gael gofal.

**Erthygl 26** Mae gan bob un ohonon ni hawl i addysg ac i orffen yr ysgol gynradd, a ddylai fod am ddim. Dylai pob un ohonon ni allu dewis gyrfa neu ddefnyddio ein sgiliau i gyd. Mae gan ein rhieni hawl i ddewis sut rydyn ni'n dysgu, a beth rydyn ni'n ei ddysgu. Dylai pob un ohonon ni ddysgu am y Cenhedloedd Unedig ac am sut mae cyd-dynnu â phobl eraill a pharchu eu hawliau nhw.

**Erthygl 27** Mae gan bob un ohonon ni hawl i'n ffordd o fyw ein hunain, ac i fwynhau'r pethau da sy'n dod gyda gwyddoniaeth ac addysg.

**Erthygl 28** Mae'n rhaid cael trefn er mwyn i bob un ohonon ni fwynhau hawliau a rhyddid yn ein gwlad ein hunain a ledled y byd.

**Erthygl 29** Mae dyletswydd arnon ni dros bobl eraill, a dylen ni ddiogelu eu hawliau a'u rhyddid nhw.

**Erthygl 30** Chaiff neb fynd â'r hawliau hyn a'r rhyddid hwn oddi wrthon ni.

# Nawr dewch i gwrdd â'r arlunwyr!

**Erthyglau 1 & 2 –** Mae **John Burningham** wedi cael bri rhyngwladol ers i'w lyfr cyntaf, *Borka: The Adventures of a Goose With No Feathers* ennill Medal Kate Greenaway. Mae'n byw gyda'i deulu yn Llundain.

**Erthygl 3 –** Arlunydd ac awdur o fri yw **Niki Daly**. Mae'n byw yn Cape Town, De Affrica. Mae wedi ennill nifer o wobrau am ei waith sy'n dathlu bywyd a'r newidiadau sy'n digwydd yn ei wlad.

**Erthygl 4 –** Cafodd **Korky Paul** ei eni yn Zimbabwe ac astudiodd y Celfyddydau Cain. Mae'n ei alw ei hun yn 'Arlunydd Portreadau Gorau'r Byd'. Mae Korky yn ymweld ag ysgolion yn sôn am ei angerdd am ddarlunio.

**Erthygl 5 –** Mae **Jane Ray** wedi darlunio nifer o lyfrau stori-a-llun o bwys sydd wedi'u canmol dros y byd. Mae hi'n mwynhau cerddoriaeth, darllen a garddio, ac mae hi'n byw yng ngogledd Llundain gyda'i gŵr, tri o blant a dwy gath.

**Erthygl 6 –** Awdur/arlunydd o Iwerddon yw **Marie-Louise Fitzpatrick**. Mae hi'n byw yn Nulyn. Mae ei llyfrau'n cynnwys *Silly Mummy, Silly Daddy*, *Izzy and Skunk* ac *I'm a Tiger Too.*

**Erthygl 7 –** Arlunydd yw **Jan Spivey Gilchrist** ac mae wedi ennill llawer o wobrau. Mae wedi cael ei chynnwys yn Oriel Anfarwolion Llenyddol Cenedlaethol i Awduron o dras Affricanaidd.

**Erthygl 8 –** Awdur o'r Almaen yw **Ole Könnecke**. Cafodd ei fagu yn Sweden. Dechreuodd ddarlunio wrth astudio Ieitheg yr Almaeneg. Mae'n byw yn Hamburg, yr Almaen.

**Erthygl 9 –** Cafodd **Piet Grobler** ei fagu ar fferm yn rhanbarth Limpopo yn Ne Affrica. Nawr mae'n byw yn Stellenbosch, ac mae ei waith yn cael ei gyhoeddi ledled y byd.

**Article 10 –** Artist, dylunydd, awdur ac arlunydd yw **Fernando Vilela**. Mae'n byw yn São Paulo. Mae ei lyfrau'n cynnwys *The Great Snake: Stories from the Amazon.*

**Erthygl 11 –** Mae **Polly Dunbar** wedi ysgrifennu a darlunio nifer o storïau i blant. Enillodd ei llyfr *Penguin* y Fedal Arian yng Ngwobr Llyfrau Plant Nestlé. Pan nad yw hi'n tynnu lluniau, mae hi'n hoffi gwneud pypedau.

**Erthygl 12 –** Mae **Bob Graham**, prif arlunydd llyfrau stori-a-llun Awstralia, wedi ysgrifennu a darlunio llawer o storïau plant gan gynnwys *Rose Meets Mr Wintergarten*, *Buffy*, *"Let's Get a Pup!"* a'r dilyniant, *"The Trouble with Dogs!"* Enillodd Wobr Llyfrau Plant Nestlé am *Max*, Medal Kate Greenaway Medal am *Jethro Byrde, Fairy Child*, a Gwobr Llyfr Plant y Flwyddyn Awstralia bedair gwaith.

**Erthygl 13** – Mae **Alan Lee** wedi gwirioni erioed ar chwedlau a ffantasi. Yn ogystal â'r llyfrau sydd wedi ennill gwobrau iddo, gweithiodd am 6 blynedd ar ddyluniadau ar gyfer trioleg ffilmiau *Lord of the Rings*.

**Erthygl 14** – Mae **Hong Sung Dam** yn arlunydd o Dde Korea. Cafodd ei garcharu a'i boenydio am ei ddarluniau ac roedd yn 'garcharor cydwybod' Amnest Rhyngwladol. Cafodd ei ryddhau ar ôl pedair blynedd.

**Erthygl 15** – Mae **Frané Lessac** yn byw yng Ngorllewin Awstralia. Yn ei llyfrau, ei nod yw ysbrydoli plant i ddysgu am eu treftadaeth unigryw eu hunain gan ddefnyddio geiriau a darluniau.

**Erthygl 16** – Mae **Sybille Hein** wedi ennill Gwobr Llyfrau Plant Awstria dair gwaith. Pan nad yw hi'n tynnu lluniau, mae hi'n gwibio drwy bydewau tywod Berlin gyda Mika, ei mab bach.

**Erthygl 17** – Mae **Marie-Louise Gay** wedi darlunio neu ysgrifennu dros chwe deg o lyfrau i blant. Hefyd mae hi'n ysgrifennu ac yn dylunio dramâu i bypedau. Mae hi'n byw yn Montréal, Canada.

**Erthygl 18** – Mae gwaith **Jessica Souhami** fel pypedwr cysgodion wedi dylanwadu ar ei darluniau collage trawiadol. Mae ei holl lyfrau plant yn adrodd storïau o bedwar ban y byd.

**Erthygl 19** – Cafodd **Debi Gliori** ei geni yn yr Alban ac yno mae hi'n byw. Ers iddi ddechrau ei gyrfa yn 1984, mae hi wedi ysgrifennu/darlunio dros chwe deg o lyfrau stori-a-llun, chwe nofel ac mae ganddi bump o blant.

**Erthygl 20** – Cafodd **Satoshi Kitamura** ei eni yn Tokyo, Japan. Mae wedi darlunio llawer o lyfrau sydd wedi ennill gwobrau gan gynnwys *Angry Arthur*, y clasur o lyfr stori-a-llun. Mae'n byw yn Llundain.

**Erthygl 21** – Cafodd **Gusti** ei eni yn yr Ariannin ac mae'n byw yn Sbaen. Mae'n arlunydd o fri rhyngwladol, mae wedi ymrwymo i gadwraeth eryrod yn Ne America a chondoriaid yn yr Ariannin.

**Erthygl 22** – Mae **Catherine a Laurence Anholt** wedi cynhyrchu 100 o lyfrau plant sydd wedi gwerthu'n wych ac maen nhw wedi ennill llawer o wobrau, gan gynnwys Gwobr Llyfrau Plant Nestlé ar ddau achlysur. Maen nhw'n berchen *Chimp and Zee, Bookshop by the Sea* yn Lyme Regis – y siop lyfrau gyntaf yn y DU sy'n eiddo i awduron.

**ERTHYGL 23** – Mae **Gilles Rapaport** yn byw ym Mharis, Ffrainc. Mae wedi darlunio dros 20 o lyfrau i blant. Mae ei waith yn mynegi ei ddymuniad i blant sylweddoli pa mor bwysig yw bod yn rhydd yn feddyliol ac yn gorfforol.

**ERTHYGL 24** – Roedd **Jackie Morris** eisiau bod yn arlunydd ers pan oedd hi'n chwech oed. Bellach mae pobl o bedwar ban y byd yn dwlu ar ei llyfrau a'i phaentiadau. Mae hi'n byw mewn bwthyn bach ar lan y môr yn Sir Benfro.

**ERTHYGL 25** – Cafodd **Brita Granström** ei magu yn Sweden ond nawr mae'n byw ac yn gweithio'n bennaf yn Berwick-upon-Tweed, Lloegr gyda'i gŵr, yr awdur a'r arlunydd Mick Manning. Mae hi wedi ennill nifer o wobrau am ei llyfrau stori-a-llun, gan gynnwys Medal Arian Gwobr Llyfrau Plant Nestlé a Gwobr Platinwm Oppenheim.

**ERTHYGL 26** – Ysgrifennodd **Nicholas Allan** ei nofel gyntaf pan oedd yn bedair ar ddeg oed. Mae ei lyfrau enwog – gan gynnwys *The Queen's Knickers* – wedi'u cyfieithu i nifer o ieithoedd, ac mae *Hilltop Hospital* yn sioe deledu sydd wedi ennill gwobr BAFTA.

**ERTHYGL 27** – Cafodd **Axel Scheffler** ei eni yn Hamburg, yr Almaen, a nawr mae'n byw yn y DU. Mae'n arlunydd o fri rhyngwladol sydd fwyaf adnabyddus am ddarlunio *Y Gruffalo,* gan Julia Donaldson.

**ERTHYGL 28** – Mae **Chris Riddell** yn arlunydd adnabyddus ac yn gartwnydd gwleidyddol. Mae ei waith yn llawn manylion rhyfeddol ac elfennau o ffantasi. Mae ei lyfrau'n cynnwys *Ottoline and the Yellow Cat* a enillodd Wobr Aur Llyfrau Plant Nestlé.

**ERTHYGLAU 29 & 30** – Mae **Marcia Williams** wedi dwlu ar lyfrau ers pan oedd hi'n ferch fach, ac mae'n dal i gofio teimlo'n hapus pan oedd rhywun yn darllen iddi. Mae pobl dros y byd i gyd yn edmygu ei harddull darlunio ar ffurf stribedi comig. Mae hi'n byw yn Llundain.

Mae'r Datganiad Cyffredinol o Hawliau Dynol yn gofalu amdanon ni i gyd,
pwy bynnag ydyn ni neu ble bynnag rydyn ni'n byw.

Cyhoeddodd y Cenhedloedd Unedig yr hawliau hyn ar 10 Rhagfyr 1948,
pan ddywedodd y byd 'byth eto' i erchyllterau'r Ail Ryfel Byd.

Addawodd llywodraethau dros y byd i gyd y bydden nhw'n sôn wrth bobl
am yr hawliau hyn ac yn gwneud eu gorau i'w cynnal nhw.

Mae gan bob plentyn ac oedolyn yn y byd yr hawliau hyn. Cawson ni i gyd
ein geni'n rhydd ac yn gyfartal.

Mae ein hawliau'n rhan o'r hyn sy'n ein gwneud ni'n ddynol a ddylai neb fynd
â nhw oddi wrthon ni.

Mae Amnest Rhyngwladol yn gweithio i ddiogelu ein hawliau dynol, ledled y byd.

Cewch wybod rhagor yn www.amnesty.org.uk/wales-1

Amnesty International UK / Amnest Rhyngwladol y DU
17-15 New Inn Yard, London / Llundain EC2A 3EA
ffôn: 020 7033 1500

# THE UNIVERSAL DECLARATION OF HUMAN RIGHTS

SIMPLIFIED VERSION BY AMNESTY INTERNATIONAL

**Article 1** We are all born free and equal. We all have our own thoughts and ideas. We should all be treated in the same way.

**Article 2** These rights belong to everybody, whatever our differences.

**Article 3** We all have the right to life, and to live in freedom and safety.

**Article 4** Nobody has any right to make us a slave. We cannot make anyone else our slave.

**Article 5** Nobody has any right to hurt us or to torture us.

**Article 6** Everyone has the right to be protected by the law.

**Article 7** The law is the same for everyone. It must treat us all fairly.

**Article 8** We can all ask for the law to help us when we are not treated fairly.

**Article 9** Nobody has the right to put us in prison without a good reason, to keep us there or to send us away from our country.

**Article 10** If we are put on trial, this should be in public. The people who try us should not let anyone tell them what to do.

**Article 11** Nobody should be blamed for doing something until it is proved.

When people say we did a bad thing we have the right to show it is not true.

**Article 12** Nobody should try to harm our good name. Nobody has the right to come into our home, open our letters, or bother us or our family without a good reason.

**Article 13** We all have the right to go where we want in our own country and to travel abroad as we wish.

**Article 14** If we are frightened of being badly treated in our own country, we all have the right to run away to another country to be safe.

**Article 15** We all have the right to belong to a country.

**Article 16** Every grown up has the right to marry and have a family if they want to. Men and Women have the same rights when they are married, and when they are separated.

**Article 17** Everyone has the right to own things or share them. Nobody should take our things from us without a good reason.

**Article 18** We all have the right to believe in what we like, to have a religion, or to change it if we wish.

**Article 19** We all have the right to make up our own minds, to think what we like, to say what we think, and to share our ideas with other people.

**Article 20** We all have the right to meet our friends and to work together in peace to defend our rights. Nobody can make us join a group if we don't want to.

**Article 21** We all have the right to take part in the government of our country. Every grown up should be allowed to choose their own leaders.

**Article 22** We all have the right to a home, enough money to live on and medical help if we are ill. Music, art, craft, and sport are for everyone to enjoy.

**Article 23** Every grown up has the right to a job, to a fair wage for their work, and to join a trade union.

**Article 24** We all have the right to rest from work and relax.

**Article 25** We all have the right to a good life. Mothers and children and people who are old, unemployed or disabled have the right to be cared for.

**Article 26** We all have a right to education and to finish primary school which should be free. We should be able to learn a career or make use of all our skills. Our parents have the right to choose how and what we learn. We should learn about the United Nations and about how to get on with other people and to respect their rights.

**Article 27** We all have the right to our own way of life, and to enjoy the good things that science and learning bring.

**Article 28** There must be proper order so we can all enjoy rights and freedoms in our own country and all over the world.

**Article 29** We have a duty to other people, and we should protect their rights and freedoms.

**Article 30** Nobody can take away these rights and freedoms from us.